Cuadernos Ínfimos 57

Tusquets Editor

Severo Sarduy

BIG BANG

Diseño de este volumen: Clotet-Tusquets

Tusquets Editor.   Avenida Hospital Militar, 52, 3.º 1.º   Barcelona-6

Depósito Legal: B. 47658-1974   ISBN-84-7223-557-2   Printed in Spain

Grafos, S. A.   Arte sobre papel.   Paseo Carlos I, 157.   Barcelona-13

Indice

Flàmenco

POLÍGONOS de estuco. Cúpulas que en el agua reflejan. A cada cuerda tiembla la superficie, a cada voz en el rectángulo de la alberca se desplaza un instante la sucesión de arcos, de salas que se abren al jardín, de jardines idénticos que interrumpen albercas, rectángulos espejeantes, agua inmóvil donde a cada voz, a cada cuerda se reflejan un instante, desaparecen, se reflejan otra vez los vacíos polígonos de estuco, las cúpulas, madera y nácar, la invariable sucesión de los arcos, el órden de las salas sonoras, los jardines florecidos, húmedos, abandonados, saqueados, devastados, quemados, olvidados, ruinas, sueños, cenizas.

A la luz amarilla aparecen un instante, se borran, superpuestos a sí mismos, divididos por una falla negra, los volúmenes de ocre, los cuerpos vacíos que lo negro, la sombra espesa sobre la página tacha, deja ver un instante más hasta que la luz amarilla, limón, ópalo, vidrio de orine, acecho de ojos de tigre vuelve a descubrirlos, a extraerlos del fondo de la página, de la noche de tinta, a rescatarlos para la efímera simetría que ordena una línea, que divide una falla negra a cuyos lados se equilibran cuerpos de ocre, volúmenes vacíos que esplenderán un instante, estampados de amarillo, día estríado, salto, azufre, tigre.

Las páginas cubiertas de letras de oro. Al paso del lector la luz cernida por los dátiles refleja los signos sobre el muro, un instante sobre la arena negra. A cada movimiento de la mano, a cada nueva página la escritura aparece sobre las cenefas, entre las piedras rojas y otra vez sobre el muro,   a lo largo del muro donde el mapa de la página anterior acaba de borrarse, los signos descendiendo hacia la arena, brasas.

EL AGUA une sus vidrios, cubre los rombos negros. Sobre el azulejo van apareciendo las sombras, los gestos, el rondel de las cúpulas.   Ya repercuten

los oros, los rostros visibles a cada golpe de agua.
En los jardines negros
      entre columnas húmedas,
      los conos de las tumbas.

EL CORO chillón, el golpe de los bronces oxidados; arena empaña los vidrios.

Una mano se alza y entonces se oyen los sopranos, agua verde rodando sobre latas, sobre metales cada vez más finos, entre cubos de cornetas mohosas,

hasta que el hilo estridente se pierde entre las manchas de musgo, siguiendo una línea de puntos.

EL FIELTRO CARMELITA

polígono estrellado

EL VERDÍN

los sucesivos arcos

HAN TAPIZADO EL MURO

columnas de porfirio

LA SOMBRA REDONDEADA

que Góngora escribiera

SOLDADA A UN CUBO NEGRO

lejana y sola Córdoba

FRENTE AL MURO DE ORO

el fieltro carmelita

PIEDRA YA NO GUITARRA

el verdín

la sombra redondeada

POLÍGONO ESTRELLADO

soldada a un cubo negro

frente al muro de oro

LOS SUCESIVOS ARCOS

COLUMNAS DE PORFIRIO

piedra ya no guitarra

QUE GÓNGORA ESCRIBIERA

volúmenes de ocre

LEJANA Y SOLA CÓRDOBA

que un andamiaje fija

LLAMABAN LOS ALMUÉDANOS

el fieltro carmelita
    frente al muro de oro
        volúmenes de ocre
            que un andamiaje fija

el verdín
    la sombra redondeada

han tapizado el muro
    soldada a un cubo negro
        PIEDRA YA NO GUITARRA

el cuerpo es un volúmen

dimensiones opacas

el cuerpo es un sistema

que un andamiaje fija

el cuerpo es una máquina

dentro de un cubo blanco

aristas superpuestas

anamorfosis del espacio

DENTRO DE UN CUBO BLANCO
ARISTAS SUPERPUESTAS
EL CUERPO
ANAMORFOSIS DEL ESPACIO
ENARBOLA SUS CAJAS
EL CUERPO ES UNA MÁQUINA
VOLÚMENES DE OCRE
DIMENSIONES OPACAS
SUPERFICIES GRISÁCEAS
EL CUERPO ES UN SISTEMA
DENTRO DE UN CUBO BLANCO
QUE UN ANDAMIAJE FIJA
EL CUERPO
EL CUERPO ES UNA MÁQUINA
ENARBOLA SUS CAJAS

17

DENTRO DE UN CUBO BLANCO
UN VOLUMEN FICTICIO
LA PÁGINA ES UN CUBO
CÓMPLICE DE LA MIRADA
TODO CUERPO ES UN CUBO
    VOLÚMENES DE OCRE   volúmenes de ocre
TODO CUBO UNA ESFERA
SUPERFICIES GRISÁCEAS   superficies grisáceas
TODO CUERPO CONVIERTE   dentro de un cubo blanco
DENTRO DE UN CUBO BLANCO
SUS ARISTAS EN OTRO   el cuerpo

dentro de un cubo blanco

el cuerpo

el cuerpo
enarbola sus cajas

DENTRO DE UN CUBO BLANCO
aristas superpuestas
anamorfosis del espacio

> EL CUERPO
> volúmenes de ocre
> superficies grisáceas
> ENARBOLA SUS CAJAS

el cuerpo es un volumen
dimensiones opacas

el cuerpo es un sistema
que un andamiaje fija

el cuerpo es una máquina
dentro de un cubo blanco

EN EL CUADRADO ROJO
(en un bloque los dedos)
EL CUERPO ESTA ENCERRADO:
(en la página el paso)

FRAGMENTOS DE ALUMINIO
(urna sino escultura)

CAJAS DE AZOGUE

en el cuadrado rojo
(LAS UÑAS OVALADAS)

fragmentos de aluminio
(RECIPIENTES OPACOS)

el cuerpo está encerrado
(MOLDE CONVEXO CÓNCAVO

cajas de azogue

un triángulo de estratos

SE LE FUE EL AZOGUE
tablado verde

COMO ESCRIBIR EN AGUA
el cuerpo gira

un prisma la cabeza

QUE ESTÁ EN LO ALTO DE LA TORRE
sobre lentes mojados

el cuerpo es una máquina

CON LOS DÍAS DE INVIERNO
la pierna una hélice

en equilibrio estable

UN LETRERO QUE DICE
relojería blanca

si las haces girar   naranja   LIMÓN   cereza

unas sobre las otras   LIMÓN   cereza   LIMÓN

las piezas invisibles   cereza   LIMÓN   LIMÓN

si coinciden   cereza   LIMÓN   LIMÓN

los segmentos   LIMÓN   naranja   LIMÓN

que un andamiaje fija   naranja   LIMÓN   LIMÓN

si al detenerse   LIMÓN   cereza   LIMÓN

unas sobre las otras   naranja   LIMÓN   LIMÓN

las invisibles piezas   naranja   LIMÓN   LIMÓN

se continúan sus líneas   LIMÓN   LIMÓN

después de un golpe seco   LIMÓN

EL SENA EN ORINOCO

    operetas morescas

EL ORINOCO EN NILO

    con guitarras eléctricas

EL NILO EN AMAZONAS

    caravanas trilingües

EL AMAZONAS GANGES

    filmada en tecnicolor

    minrab de bakelita

EL GANGES EN EL MAR

    ruinas de poliéster

    la cúpula es inflable

LA CORRIENTE ES INMÓVIL

LA RIVERA LA MISMA

    estrellas de neón

TODO ACTO ILUSORIO

    Cordoba's drug store

CIRCULAR COMO EL TIEMPO

    poster del Cordobés

DICE: "SÓLO DIOS VENCE"

entre molinos árabes

HOY ENDEBLES MADERAS

este río

LAS ASPAS DESPEGADAS

convirtiéndose en otro

LOS MUCHACHOS DE CÓRDOBA

como el agua en el agua

EN CARRETAS LOS ÓRGANOS

las cambiantes arenas

VENDEDORES DE DULCE

fue bautizado Duero

EN EL PATIO LOS NIÑOS

el duero en el genil

JUGANDO A QUE JUGABAN

el genil en el tajo

ENTRE LOS CAPITELES

el tajo en el guadiana

SE ESCONDEN LOS FOTÓGRAFOS

el guadiana en el sena

COLUMNAS DE VINIL

por donde hacia la luz huye el sonido

ALJÓFAR BLANCO

en sucesivas cámaras de eco

NO SÓLO EN PLATA

convertidos los cuerpos y guitarra

EN TIERRA, EN HUMO

las cuerdas prolongadas

O CUAL POR MANOS HECHA, ARTIFICIOSAS

mecánicas sonoras

DESTINADA SEÑAL QUE MORDIÓ AGUDA

volúmenes de ocre

BREVE URNA LOS SELLA COMO HUESOS

25

EN EL ESPACIO DE LO BLANCO, donde las sombras se anulan,
la luz va royendo los bordes, plegando los colores, destruyendo las formas,
EN EL ESPACIO DE LO BLANCO, pasando del otro lado de la
banda, irrumpiendo en el ámbito sin límites (sin sombras)

esfera
rectángulo amarillo, manchas verdes
triángulo, convergencia del iris
piezas cuyo mármol es apenas visible
se dibu-jan,

son ganados otra vez por la luz, descompuestos, expulsados de la página,
figura desunida, apagada, que
EN EL ESPACIO DE LO BLANCO, un instante después va
insinuando sus formas, creando las franjas de color, definiendo sus bordes,
apareciendo ya a medida en que la excesiva luz se retira:

una cabeza,
un cuadrado azafrán, óvalos azules y verdes,
un prisma,
un cuerpo segmentado.

Blanco

muros blancos
muros blancos
muros blancos
muros blancos
muros blancos
          puertas negras.

lejana y/o sola

un prisma la cabeza

QUE PRIVILEGIA EL CIELO Y DORA EL DÍA

las rayas del tablado

DE ARENAS NOBLES YA QUE NO DORADAS

ceñido fieltro verde

TU MEMORIA NO FUE ALIMENTO MÍO

un prisma transparente estría el rojo

OH TORRES CORONADAS

que las rayas apresan, sombra breve

OH FÉRTIL LLANO

y en ese fieltro se dibuja el paso

OH FLOR DE ESPAÑA!

COMO UNA PIEDRA NEGRA

sobre la cal la sombra   SOBRE UNA PIEDRA BLANCA
anil de los jardines   COMO FIBRA DE VIDRIO
en los sonoros patios   TAPANDO UNA VENTANA
las letras se repiten   HERRERÍA BARROCA
formando una cenefa   SOBRE LA CAL LA SOMBRA
(las palabras son muros)   COLORES DILATADOS
la espiral de la frase   HIERROS ENTRELAZÁNDOSE
al fijarse, una cúpula   ARABESCOS HERÁLDICOS
la página, una sala   DOBLE QUE EL SOL DESPLAZA
(el palacio es un libro)   SOBRE CAMPO DE CAL
a la vez piedra y letra   ESCRIBIENDO LAS ARMAS
pensamiento y soporte   ENTRE CUERDAS LAS LETRAS
armazón y sentido   SI SOBRE LOS MUROS BLANCOS
la escritura va armando   LOS DIBUJOS CAMBIAN
edificios de signos   REVERSO DE LA LUZ
las letras se repiten   PARA MEDIR EL DÍA
el palacio es un libro

la exactitud del agua

Este río
convirtiéndose en otro
como el agua en el agua

las cambiantes arenas
fue bautizado Duero

el duero en el genil
el genil en el tajo

el tajo en el guadiana
el guadiana en el sena

ENTRE MOLINOS ÁRABES
hoy endebles maderas
SE BAÑABAN LOS PRÍNCIPES
las aspas despegadas
ALFÓJAR LA FILTRABA
los muchachos de Córdoba
EL ORO DE LAS TÚNICAS
en carretas los órganos
SOBRE NOBLES ARENAS
vendedores de dulces
YA QUE NO SON DORADAS
en el patio los niños
EL INCA GARCILASO
jugando a que jugaban
TAMBORILES Y DÁTILES
entre los capiteles
SU NOMBRE EN UN SONETO

TALLADORES DE PIEDRA

el orinoco en nilo   columnas de vinil

el nilo en amazonas   LOS SUCESIVOS ARCOS   operetas morescas

el amazonas ganges   QUE GÓNGORA ESCRIBIERA

con guitarras eléctricas

el ganges en el mar   LLAMABAN LOS ALMUÉDANOS   caravanas trilingües

la corriente es inmóvil   POLÍGONO ESTRELLADO   filmada en tecnicolor

la rivera la misma   LEJANA Y SOLA CÓRDOBA   mihrab de bakelita

todo acto es ilusorio   LAS VENTANAS ROSADAS   ruinas de poliéster

circular como el tiempo   COLUMNAS DE PORFIRIO   la cúpula es inflable

DICE: "SÓLO DIOS VENCE"   estrellas de neón.

Mood Indigo

incrustarte cascabeles en las mejillas
con cal escribirte en la frente
con rayas espirales pintarte el sexo
las nalgas con discos fluorescentes

líneas de puntos blancas
agrimensor de tu cuerpo negro

firmarte la cabeza
cubrirte los pies de yeso
flores de oro en las manos
ojos egipcios en el pecho

ideogramas blancos
un mapa negro tu cuerpo

Orquestica tántrica

Cootie Williams a la trompeta-fémur.
Joe Nanton al trombón: para obtener un buen
                              [wa-wa
                orine en la boca de cobre.
Johnny Hodges al saxo alto: un gran lama, sí
                              [señor. Quién si no
                podría expulsar por la boca
                el aire aspirado por el ano?
Harry Carney al saxo barítono, un gran lama
                              [sí señor. Quién si no
                podría expulsar por el ano
                el aire aspirado por la boca
Sonny Greer al drum: los tamborines:
                cráneos de niño serruchado
                              [por la mitad
                cuero de yack legítimo.
Duke al piano en llamas.

                    con el trombón de Benny Morton
                    y la trompeta de Dizzy Gillespie
                    probado por expertos catadores
                    con sudor negro
        droga

                        en la cala de un barco
        danza

                        en un barco de ruedas

otra vez fetiche
  de tan sofisticada
    tan de oro y dobles arabescos
      de piedras y plumas incrustada   dios
        cubo de marfil   puntos negros   dado
        una trompeta oxidada

                              antílope
                              ornamentos

                    el aduanero
                    sueña
                    serpiente
                    flauta
            cubierto de cuños rojos
            rayado, veloz
            de un tigre que pasa
            rumor de orquídeas pudriéndose

SOL filtrado por una empalizada   bambú
    barcos de rueda—la orquesta a bordo—: refle-
                          [jo de cobres   SOL

            fetiche salpicado semen coágulos
            piedras blancas los ojos
            en el templo de Ochúm
                          ámbar
                          junto al río
                          inmóvil
                          caracoles girando

                              amuletos
                              de ópalo

                                    panteras
                                    negras

con postigos cerrados
   con tablones las puertas claveteadas
     con sacos de arena y espejos rotos
        y amuletos cerrando las ventanas

            conjuros matablanco
               Jean Genet en una maleta olvidada

               ametralladoras
                  hay que romperlo todo
            Ecos de Harlem rayado
                     ciclón
         pastelitos de hasch
                        cero
   Nina al piano
                     hay que arrasarlo todo
                        la próxima vez   fuego!

                    con cascabeles roncos
                    con vidrios trizados
                    con Cootie William a la trompeta
               y Duke al piano
          con la madera de las claves
          han dejado escrituras yorubas
          las mordidas de los perros mudos
     tambores dobles   con Ray Nance al
                                        [violín
     clepsidras de ácara y cuero   con Duke al
                                        [piano
     marca el tiempo del jugue   *plumas de oro*
cayendo la ceniza de tus huesos   cayendo la
                                   [ceniza de tus husos

                    negro como la leche
                  como los dientes   negro
                    del mismo negro del agua
                                    [bautismal

        nieve

                    negro como la página
                      de fibra de cristal   ne-
                                       [gro
                      córnea de los ojos

    semen

con signos blancos en las mejillas
    cal en la frente
      sin sal para la sed
        en la piel y el hueso

                              onix
        espirales blancas tatuadas
          castillos de plumas en la cabeza
            un texto en la cara
              escrito con yeso
                ébano

Espiral negra

                    a Piet Mondrian bailando
                         al woogie-boogie
                            al boogie-woogie
                                al Haig
                                  a la Cigale
                                        al Cotton Club
                   con elegguas
                      en los tobillos
                         con campanillas
                            al Chori otra vez
                               en las muñecas
                                        al Tin Angel
         cajas huesos botellas
                         a Nueva Orleans
                                     de la Costa de Oro   al Riverside
   bambú de las Antillas
   frascos llenos de piedras
                      a La Habana
                                del Congo a Virginia
   quijadas de caballo
               a Congo Square

con cajas de tabaco   del río   con cascabeles   al Tabou

al Eddie Condon   los reyes sometidos   con castillos de plumas

al Central Plaza   las mejillas tatuadas   con pulseras de oro   al Caméléon

al Stuyvesant Casino   inmóvil como un río   spiritual/spiral   al Half note

al Chori

wasn't dat a wide ribber   al Cafe Bohemia

al Jimmy Ryan's   flechas rojas, minúsculas   al Nick's

al Ember's

al Voyager's room   al Society

al Composers   al Cafe Metropole

al Savoy ballroom   al Birdland

al Apollo Theater   al Carnegie Hall

al Ecole Juillard

la música la paguen con como cruces

fulgor de Varadero

Pérez Prado

en La Habana

luna sobre Matanzas

estratos negros

líneas que se cruzan

los negritos pollitos que bailan

te decían el conde negro

con Puntillal

y su guitarra

los dioses del otro lado

con Beny

Reemplazan redes que c

tomaron que se bifurcan

en La Hab

en el ferry-boat

los dioses tomando una cristal bien fría durmiendo la siesta

Big Bang

I

Big Bang

Las galaxias parecen alejarse unas de otras a velocidades considerables. Las más lejanas huyen con la aceleración de doscientos treinta mil kilómetros por segundo, próxima a la de la luz.

El universo se hincha.

Asistimos al resultado de una gigantesca explosión.

II

Big Bang

Conociendo la distancia que separa las galaxias y la rapidez con que se alejan unas de otras, podemos, a través de cálculos, ir atrás en el tiempo, hasta principios de la expansión. De ahí que los partidarios de la teoría del *big bang* concluyan que el nacimiento del universo se produjo hace diez billones de años. "La evolución del mundo puede compararse con un grandioso fuego artificial cuyos últimos cohetes acaban de apagarse: quedan algunos residuos incandescentes, cenizas y humo. En las brasas más frías se extinguen soles." (Lemaître).

III

Isomorfia

El astrónomo americano Allan R. Sandage reveló, en el congreso de astrofísica que se desarrolla actualmente en Texas, que en junio de 1966 los astrónomos de Monte Palomar habían sido testigos de la más gigantesca de las explosiones de un objeto celeste jamás observada por el hombre. El objeto celeste de que se trata es un quasar que lleva el número 3C 446. Los quasars, descubiertos en 1963, pueden ser astros jóvenes, extremadamente lejanos —varios billones de años-luz— y muy luminosos. La explosión observada, que multiplicó por veinte la luminosidad del quasar 3C 446 pudo haberse producido hace algunos billones de años, tal vez poco después de la explosión inicial que, según la teoría del profesor Sandage, dio nacimiento al universo.

De la lucerna manchada, alta —contra los cristales el golpe de la arena—, la luz cae, cono mostaza.

La sombra del tubo de la ducha en la pared rosada.

En los baños del Hotel de la Confianza apareces, aguador desnudo.

(Afuera: sandalias arrastradas sobre el suelo cubierto de aserrín, la radio marroquí, y más lejos —jinetes que borra el resplandor naranja—, cascos, turbantes que se deshacen al viento.)

Rompes contra el suelo los cantarillos de agua podrida, te sacas el sexo, hueles a oliva, te aprietas el glande, lo marcan tus dedos manchados de azafrán, de tintura púrpura.
La leche en la pared: punto denso, signo blanco que se dilata.
Un silencio.
Una risa.

Te pones la chilaba.
Yo, el impermeable.
(Afuera: el audio de la película: "Mañana al alba, César atacará Alesia", y más lejos, el parpadeo del neón —"Luxor"—, el metro.)

Tiznit / Barbès-Rochechouart.

IV

Hueco negro

Tradicionalmente, la deformación del espacio alrededor de un cuerpo masivo se compara con la de una membrana de caucho horizontal bajo el peso de una bola. Cuando un derrumbe gravitacional se produce, asistimos al nacimiento de un verdadero hueco en el espacio-tiempo, hueco que devora totalmente la materia del objeto. Es la geometría misma del espacio-tiempo lo que, en una cierta zona, se ve arrastrado por el derrumbe. Toda materia, todo rayo proyectado a partir de esa zona, se ve arrastrado por el derrumbe. Toda materia, todo rayo proyectado a partir de esa zona, es capturado irreversiblemente y no puede escapar. De modo que, del objeto derrumbado no puede llegarnos ninguna señal. Un fotón que tratara de emerger de él se encontraría en la situación de un niño tratando de subir a la carrera una escalera mecánica que bajara a gran velocidad. La velocidad del fotón hacia el exterior será siempre inferior a la de la *implosión:* la luz quedará irremediablemente atrapada. Queda pues explicado por qué a esos objetos celestes que han llegado a fases extremas de su derrumbe gravitacional se ha llamado "huecos negros".

Arena aspirada en las aristas: los objetos van perdiendo sus bordes, redondeando sus ángulos, piedras gastadas.

El polvo que los vacía traza las diagonales del cubo, desaparece en el centro hueco.

De las paredes se desprende la cal roja; del suelo, fibras de madera; el tapiz se desteje.

Colores roídos.
Poros.
Superficies que el iris devora.

Planos cerrándose.
Vertientes blanqueadas.

El rumor de la erosión me duerme.

V

Cangrejo

Desde hace algunos años la nebulosa del Cangrejo era conocida como fuente de rayos X, pero el descubrimiento del pulsar óptico del Cangrejo, en 1968, llevó a H. Friedmann, del Naval Research Laboratory, a un nuevo análisis de sus resultados. El astrónomo encontró que un nueve por ciento del flujo X de la nebulosa se emitía en forma de pulsaciones. La energía de cada pulsación es equivalente a la que nuestra civilización pudiera producir, en forma de electricidad, durante diez millones de años.

Muros de amuletos, lámparas encendidas: elipses lentas.

A través de los cristales paralelos, cubiertos de pulseras, entre piedras brutales, se abren prismadas franjas verdes, plata de un paño.

Turbante, greñas quemadas; ante los ojos dos aros de oro: el humo del té los empaña.

Detrás de los collares sacudidos, del mar-

tilleo de las monedas, pinzas quebradas, en el
platillo cae el cangrejo:

> *té en el tapiz*
> *leche en el espejo*
> *astillas rojas de carapacho*
> *en las alhajas coágulos blancos.*

VI

Luz fósil

Así, los astrónomos tratan de explicar por qué el flujo de rayos X procedente del universo parece entre diez y cien veces superior a la suma de los flujos de todas las galaxias reunidas. ¿No habrán detectado aún todas las galaxias que emiten rayos X? ¿O se trata de una irradiación difusa, testigo de la explosión que dio origen al universo?

Medir sus reflejos en la arista de un pez,
en el ojo del cocuyo,
en la sura de la sombra del dátil;

comparar la cal del marabuto
con el paño de un monje mercedario,

con la nieve bajo el antílope
la sal de la garza fósil,

con el semen
la Vía Láctea.

VII

Enana blanca

Las enanas blancas se caracterizan por tener una débil luminosidad y un radio muy pequeño; el radio, en realidad, es comparable al de uno de los mayores planetas, Saturno. A causa de ese radio tan pequeño, la densidad a que se aglomera la materia en el interior de una enana blanca es extremadamente elevada, tan elevada que no puede compararse a nada conocido sobre la Tierra. Una enana blanca célebre es Pup, el compañero de Sirius. La materia en su centro es tan densa que una simple caja de fósforos pesaría varias toneladas. Es evidente que las enanas blancas son estrellas que han alcanzado el final de su evolución.

Donde dice "el compañero de Sirius", el doble miniaturizado de Cobra,

donde dice "Pup", poner la menina Maribárbola, o la María Sarmiento, o la propia infanta doña Margarita girando helicoidal ante el espejo, y luego su metáfora, la máquina prognática de Alejandro,

o la raquítica albina, con un pato amarrado a la cintura, que atraviesa la Ronda de la Noche, o la *Monstrua Vestida de Carreño*, con su "pendant", la *Desnuda* —atributos de sileno o de fauno,

o la *Enana Musical*, vestida de lamé y con un contrabajo a cuestas, que Arturo Carrera señala en la calle Corrientes,

o el gato *Pup*, a su manera enana blanca, que resultó tan ingrato,

o hasta la propia *Shirley Temple*.

VIII

Gigantes rojas
Enanas blancas

Como es sabido, la cantidad de estrellas dobles es muy grande: en una esfera de ciento veinte años luz trazada alrededor del Sol, en un total de cuarenta y tres estrellas hay, por lo menos, diez parejas, es decir, casi la mitad. Es poco frecuente que la masa de las estrellas de una pareja sea idéntica. La estrella mayor, evolucionando rápidamente, se convierte en una gigante roja, mientras que la menor sigue siendo una enana de la secuencia principal. Si la pareja es muy unida, entonces se producirá una transferencia de materia de la gigante hacia la enana; esta última, al ver su masa aumentar de pronto, se calentará.

Vagabundas azules

La determinación del "turn off" que se obtiene con delicados métodos de observación, queda siempre alterada por la presencia, en la secuencia principal, de estrellas situadas más allá del turn off: son las "blue stragglers", las vagabundas azules cuya existencia la teoría de la evolución estelar no logra explicar. ¿Se formarán a partir de la materia proyectada hacia el exterior por las estrellas más evolucionadas del conglomerado, las gigantes rojas?

Todas galácticas, nubladas de pies y manos, dejando un remolino de estrellitas de strass, las Cosméticas salieron de Toledo.

La Chelo (en 1054, citaba, apabullante, los Chinos observaron la nebulosa del Alacrán —y en pleno delirio etnológico—: ¡de ahí la comparsa habanera del mismo nombre!) toda estratificada: rayos (D) de sodio y bandas de óxido de titanio (TiO), características de las galaxias elípticas y de ciertas galaxias espirales; un estudio fotométrico de su rostro ponía en evidencia la caída rápida del brillo a partir del centro; la Tutsi, tan estrellada y doble y cubierta de emulsiones sensibles al infrarrojo, que era un homenaje vivo al astrónomo italiano Paolo Maffei.

Así microcósmicas —querían citar textualmente el universo—, partieron, digo, de Toledo.

Sin ton ni son deambularon hacia el sur: del Zohar al Corán, de la Ceca a La Meca, del azafrán al lirio. Emitían irradiaciones pulsantes; las seguían, en secuencias ovaladas, batallones de gigantes rojas —esas travestidas que abusaban del henné—, y hasta algunas enanas blancas de importación americana, encadenadas a cacatúas y orquídeas.

Al llegar a Gibraltar —punto de "turn-off", señaló la Chelo—, se reunieron, debatieron y decidieron hundirse en las morismas.

Por la luz que emitían, lechosa, de tiza apisonada, las identificaron en el desierto.

Luego se alejaron con velocidad uniforme, infinitas.

Los muros de Meknès las tiñeron de azul.

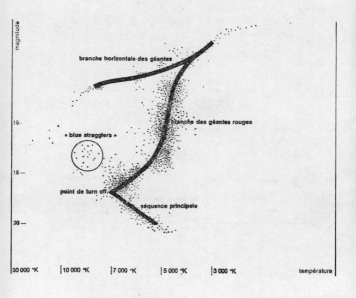

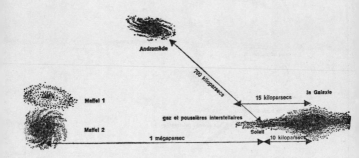

Andromède

700 kiloparsecs

15 kiloparsecs

la Galaxie

Maffei 1

gaz et poussières interstellaires

Maffei 2

Soleil

1 mégaparsec

10 kiloparsecs

XII

Cuerpo divino

El peso de tu cuerpo
sobre mi cuerpo
piel sutura cifrada
saliva Verde
sobre la espalda
vértebra entre vértebra
piernas anudadas
untados de laca fosforescente
los huesos
iluminan la habitación de muros negros
volúmenes articulándose
s'emboîtant
entrando
en silencio
aceitados
lentamente
unos en otros
unos en otros
resplandor
que desciende
por el muro
a lo largo del muro
astros muertos cayendo
hasta el mármol
de la sábana.

XIII

Curva del aire

Las rayas verdes de los muros se incurvan dibujando una espalda —volúmen vacío: tu sorda estatua impresa—, se continúan, horizontales y paralelas —el suelo—, y al fondo, separándose, uniéndose, vistas en una gota de mercurio, dibujan un sofá circular, grandes cojines inflándose, respirantes, resbaladizos, transparentes, atrapados en hilillos brillantes, de clorofila, finos flagelos de menta donde tu cuerpo negro, liso, duro, se vuelve, se vuelve otra vez, se revuelca, donde la leche salta, empaña, enharina, almidona las rayas que se alejan, que dibujan un marco ovalado, un postigo, un bosque, el cielo que ocupa enteramente un arco-iris, el aire curvo.

XIV

Simetría bilateral

postigo azul
           saltas
hacia la arena
en la frente monedas ensartadas

(khôl en los ojos
pelo quemado)

un hilo rojo, recto
abre en dos —naranja— tu cuerpo

XV

Sol

limón   faisán blanco
los pies desnudos   polvo de azafrán seco

en el agua   al revés   la muralla

                zumbido
                círculo
                sol

XVI

Correspondencia biunívoca

      arena   *soplada*

    luz negra   *rectángulo azogue tafileteado*
espejo marroquí   *sol fósil*

      agua   *quemada*

XVII

Oriente / Occidente

gigantes rojas
enanas blancas

bailas: huella de tus pies
en la nieve carbónica

viajeras azules
huecos negros

gestos reflejados
en aristas de fuego

huyendo
hacia los bordes
del espacio

cobras escupen llamas
se anudan:
tu lecho

el tiempo ha terminado
vuelve a dormirte

Con la participación de:

I.   Robert Jastrow, "Des Astres, de la Vie et des Hommes", pág. 58. Ed. Seuil, París. Título original: "Red Giants and White Dwarfs", Harper and Row, New York.

II.   Idem, pág. 60.

III.   Le Monde. Página científica.

IV.   Armand-Jocellyn Vébel, "Des étoiles invisibles: les collapsars", in La Recherche, vol. 2, pág. 369.

V.   Pierre Encrenaz, "Rayons X et cosmologie", in La Recherche, vol. 2, pág. 269.

VI.   Le Monde, 14-III-1972, pág. 14. Recherche, vol. 2, pág. 763.

VII.   Fred Hoyle, "La Astronomía".

VIII.   R. Foy, "Les blue stragglers", in La Recherche, vol. 2, pág. 763.

IX.   Idem, pág. 762.

X.   Esquema del diagrama de Hertzprung-Russel del conglomerado M 13, in La Recherche, vol. 2, pág. 763.

XI.   Diagrama del texto de Avram Hayli "Une ou deux nouvelles galaxies?" —sobre Maffei 1 y Maffei 2—, in La Recherche, vol. 2, pág. 371.

Otros poemas

Uno

Han instalado el cinematógrafo en cubierta. Pasan un film musical en colores. Están los españoles de la orquesta, el borracho hablando de cummings y de su novia en Teherán, creo que el de las llaves.

El cocinero dijo: "el Adana pasará entre la ensalada y el postre".

Se dijeron adiós mientras tocaban el himno. Quedó el olor de los pasteles quemados.

Se me hizo tarde.

ESCRITOS en el suelo han quedado los signos
                                   [de la muerte.
Y en los mosaicos de piedra roja
el estampido de los rostros de oro.

La humedad ha cubierto los frescos.
En la escalera
las manchas de los pies rajados.

El polvo ennegrece el resto.

La ventana está abierta.
La ciudad saqueada.

DE LÁMPARAS cubiertas de ceniza
entre naranjas de oro cuelgan los degollados.
En el suelo reidoras, empañadas
por la sangre de príncipes y pájaros,
atravesadas por el aire inmóvil
las cabezas coronan la diadema
de hierro que una vez las coronaba.
La fiesta ha terminado. Por el cielo
añilado, los ángeles, las flautas.

Que no falte el pan de los enterrados.
La linterna con que el slave boy espera a su amo
en el aire inundado de cocuyos.
Del Tombstone of Amyntas están los huesitos
los juguetes
el Hermes de la risita.
Las frutas del banquete póstumo
la luz de los ahogados
se escapan por los bordes
de la estela. La humedad y el chirrido de la loza.

L'enfant à l'oie

Esa menta y las alhajas funerarias, el gallo blanco y los últimos children with pets. Combate
cernido: la música del río respirante, arrastrando hierros; de las grúas mohosas el estrépito
y el verde de la herrumbre van creciendo entre
cacharros y laterío.

Ya donde el sueño de los hermafroditas y el
                                        [coro.
El niño le retuerce el cuello. El agua sube.

Cada uno en su río.

EL GAMO, contra el naranja
del bosque, pasa mojado,
veloz. El aire cuajado
añade al bosque una franja

de aros dispersos. En esos
cartílagos de paisaje
se divide, o en el oleaje,
o en el jardín de sus huesos.

Las húmedas terrazas dominaban
la esplendente planicie entre los mares;
superpuestas, azules, triangulares
las húmedas terrazas dominaban.

Simétricas estatuas deslizaban
sus cabezas de mármol por la nieve
fresca, trazando un laberinto breve
simétricas estatuas deslizaban.

Los cuerpos arrastrados por el río
han quedado en la arena sepultados
bajo las piedras nítidas del lecho.
En el delta una mano, el globo frío
de unos ojos han sido rescatados.
Y más allá una frente, un brazo, el pecho.

La cuarta noche

PERDIDO, El Poderoso se va huyendo
de la revolución y de la quema.
Dos noches sobre el mar vela y blasfema
y contempla las cúpulas ardiendo.

En la tercera noche ya se sueña
flanqueado por extraños animales
que con flautas de hilo dan la seña
de su entrada a los círculos glaciales

del país enemigo. Danza y bebe
invocando el festejo de la nieve;
dibuja sobre el agua con la daga

un castillo de muros congelados
que junto con la nave el mar se traga;
En la noche de almejas y de ahogados.

Oye, qué acordeones falsos.
La lucidez, el muro blanco.

Y sobre el tapiz, frente al muro,
yace, animal oscuro,

(la voz gangosa del disco)
rayado, un leopardo arisco
preso entre los hilos rojos.
(las agujas de sus ojos

me miran). La hoja en blanco,
la mano que escribe, temblando.

EL RÍO congelado, las márgenes cubiertas con tapices de espesos signos oscuros, el mar abierto devolviendo las voces y las manzanas que flotan en la orilla, más cerca, más lejos, escribiendo sobre la arena siempre los mismos textos, allí donde el agua iba a borrar, ya había borrado las texturas, allí donde el río congelado desembocaba, las márgenes de piedras blanquísimas cubiertas con tapices morados, el mar abierto devolviendo las voces, las manzanas que flotan en la orilla, más cerca, más lejos, escribiendo sobre la arena siempre los mismos textos, el Libro de los Libros, la descripción de un rostro, allí donde el agua iba a borrar, ya había borrado las texturas.

Después se unen los deshielos finales y ruedan arrastrando piedras verdes y pájaros, el rumor estremece la montaña en la noche hasta que el río congelado desemboca, las márgenes cubiertas con tapices de signos oscuros, el mar abierto devolviendo las voces y las manzanas que flotan en la orilla, más cerca, más lejos, escribiendo sobre la arena siempre los mismos textos, allí donde el agua iba a borrar, ya había borrado las texturas apenas visibles sobre el borde tembloroso, en la planicie desolada, separadas a veces por las manchas blancuzcas del salitre, por el cuerpo de un pez, por la línea helada de la desembocadura, extendida entre las márgenes cubiertas con tapices de espesos signos oscuros, lejos del mar abierto, devolviendo las voces; las manzanas que flotan en la orilla, más cerca, más lejos, escriben sobre la arena siempre los mismos textos, allí donde el agua iba a borrar, ya había borrado las texturas y se formaba el delta de un río congelado, las márgenes cubiertas con tapices de espesos signos oscuros, el mar abierto devolviendo las voces, las manzanas doradas, puntas de flexibles triángulos, soles girantes, cerradas conchas, sombras en el fondo pedregoso, presas entre los hielos del río, entre las líneas negras de las márgenes cubiertas con tapices de espesos signos oscuros y el mar abierto.

Dos

Del Yin al Yang

I

CAYERON ya la Dalia,
la Rufeta,
la Bonita-de-un-lado y la China.
Los inquisidores,
hogueras heráldicas,
violan las puertas todas y los signos.
Frente a la catedral,
coronadas de capiteles arden:
hasta los barcos
llega el olor a plumas quemadas.
¿Quién dirige la caza,
quién tiró la primera metralla,
qué dioses las han abandonado?

El resplandor de las cabelleras en llamas
anaranja los muros.

II

ALLÁ,
entre palos y piedras,
las cabezas gibosas
(ráfagas de balas)
coronan sus diademas de clavos.
Las plegarias han sido
para los inquisidores
como los carros llenos de oro
que se envían a un invasor para detenerlo.
El fuego, alegremente, las consume.

III

UN REMOLINO de plumas de azufre,
un aullido (en soprano).
Clausuraron todas las ventanas.
Las atrapaban en escena
enseñándoles joyas envenenadas y espejos.
Un remolino de plumas de azufre.
El estampido.

Querían huir. Ser otras.

IV

LA CORTARON en pedazos
uno a uno
hasta cien.
Los contaban en coro
tomando ron y burlándose
los héroes macharranes.

Le dieron opio para que resistiera.

Le cercenaron la cabeza con una hoz.

V

¿QUIÉN DA MÁS?
Caerán las del concilio,
la Gran Hermana
—ésa cuyo nombre no se dice—,
la Ojitos-de-Piñata,
la Tapada de La Víbora?
En la palma de la mano
llevan tatuado JUSTITIA.

VI

¿QUIÉN las redime,
ahora que los dioses partieron en el ferry-boat?
¡Más candela! (Son los verdugos,
los adeptos.)
Sobre el asfalto
quedaron las pestañas postizas,
la peluca color zanahoria.
Ardió sobre piel y pira
el sombrero de colibríes y frambuesas.

VII

UNA, la más barroca, mientras las llamas, las
salamandras, le reptaban por los pies, por los
tobillos, por los muslos, le devoraban lo indeci-
so, por el pecho, por la garganta, gritó: "¡Pero
a ti te arderá el alma!"

VIII

EL CIELO azul after shave invade el paisaje.
Fábricas negras,
el acqua velva las refleja.

Todo el vino está ebrio.

IX

JUNTO al horno
ovillado, boquiabierto
—los ojos: secos adornos—.
El gaz azuleó los cacharros.
Ya no escribirá,
ya no bailará más,
morado y afeitado.
Se acabó lo que se daba.

X

Y se lamentaron,
y reconocieron los errores,
y se arrepintieron de gran manera,
y se rajaron los uniformes,
y se untaron el cuerpo de aquella camisa,
y se les veía arrodillados
escuchando voces,
y luego: "Después de todo..." "Después de
                                    [todo..."

Y a otra víctima.

Isabel la caótica

I

El coro de sopranos pintarrajeados
entona tu loa:

>"Te comiste un Zohar,
>te comiste un Corán."

Y de tu mano de azogue
bendijiste las cabezas cortadas con tu mano
[de azufre

y plantaste jazmines en ellas.

Te goteaba la rodilla de San Ignacio,
diste el zapatazo de Santa Teresa.

Te retorciste toda, te rompiste los huesos,
pintada de oro, incrustada tu piel de joyas
[diminutas

para formar la inicial de un evangelio.

Saltaban a tu alrededor
—cofias de ojillos verdosos—
tus hidrocéfalos, tus mongoles,
tus negros y eunucos:

>"Te comiste un Zohar,
>te comiste un Corán."

Que ardas per secula seculorum,
con tus biblias y tus brújulas.

II

Mira cómo se te han roto los párpados de tanto
[llorar.
¿Qué haces arrastrándolo, mirándolo de noche,
escribiéndote la cara ante un esqueleto
[sangrante?
Siéntate. Sólo Dios vence.
¿Has medido el alcance de esa frase?
Repítela con los ojos cerrados
hasta que esas palabras queden blancas,
sin relieve —la muerte es una parte de la vida—,
como tu rostro en una moneda mohosa.

Sexteto habanero

> *"Ainsi le bon temps regrettons*
> *Entre nous, pauvres vieilles sottes,*
> *Assises bas, à croupetons,*
> *Tout en un tas comme pelotes,*
> *A petit feu de chenevottes*
> *Tôt allumées, tôt éteintes;*
> *Et jadis fûmes si mignottes!*
> *Ainsi en prend à maints et maintes."*
> (*François Villon*, Les
> Regrets de la Belle Heaumière)

I

¿Qué se hicieron los cantantes,
los reyes, los Matamoros
de dril nevado y los oros
de las barajas de antes?
¿Quién las tardes del Cervantes
recuerda, y aquel grabado
del Diario, desdibujado,
y los bailables de Sagua?

(Las guitarras llenas de agua
están, y el tambor rajado.)

II

Tu nombre, Elegua,
para abrir, para
cerrar la puerta.
La Puerta:
esplenden las ofrendas, oro,
espacio ardiente.

III

Aquellos barriletes y el coronel de Las Marías
zumbando como un loco y tocando la luna.

Del baile y Marquesano y la conga no quedan
ni la persiana el abre y el asómate.

Tomaron la cerveza en los clarines
y el bailador de Macorina estaba.
No han venido la China ni la "ojitos
de piñata". Flauta de canutillo, chacumbele.

Ya de aquí no nos vamos.

IV

¿Los dioses
se fueron, se quedaron,
murieron con Beny Moré
ellos que con él se alucinaban,

o habitan aún las orquestas habaneras,
las trompetas como dos lluvias de flechas,
los cascabeles roncos,
y las tardes de músicos y monos?

V

"¿De dónde serán,
serán de Santiago
tierra soberana?" —preguntaban
por ferias y verbenas.

(Oigo aún aquellas voces,
la mesa electoral,
mis padres bailando.)

El de sus leontinas,
oro empañado,
fue el de la tarde.

VI

El día es cegador,
la noche una humedad morada.
Giran como trompos los ahorcados
—ojos abiertos,
rostros pintarrajeados—.

No te asombres cuando veas
al alacrán tumbando caña.

Tres

Páginas en blanco (Cuadros de Franz Kline)

I   wax wing

No hay silencio
sino
cuando el Otro
habla
(Blanco no:
colores que se escapan
por los bordes).
Ahora
que el poema está escrito.
La página vacía.

II   shenandoah wall.

La pared cruje.
Grieta en lo blanco.
Allá va, desunido,
el cuarto.
Detrás del tragaluz
un rostro, otro,
mirándose,
mirándonos.

III étude pour crow dancer.

Un cubo despegado.
Pegada la oreja a la pared.
Oye.
Algo va a romperse. Algo
crece.
Lo que en el muro
      hierve.

IV harley red.

El sueño no:
la pérdida.
El blanco roedor,
que ciega.
Pierdo pie. Todo es compuerta.
Mira:
el muro sangra.

V   zinc door.

Abierta no,
entrejunta.
Esa ranura mira.
Detrás de lo blanco,
blanco.
Ahora el silencio.
Las paredes se cuartean.
El cuarto desmoronado,
navega. Y ese brillo.
La puerta transparente.

VI   black and white.

La raya negra y el battello,
el monte siamo tutti,
el barco blanco sobre el agua blanca
y la fijeza
de los pájaros sobre la Salute.
Pase,
il fait beau del otro lado
del otro lado, digo,
del río.
        Estamos todos.

Pavo real de Carlo Crivelli

Barcas vacías
bajando
por canales blancos:
los muchachos
—zapatos altos,
pelo rubio lacio—
por los corredores
de arena
inclinados.
Entre jaulas
donde aletean
miedosos de Döng
—vuelos oblicuos—
faisanes.

Cubos de Larry Bell

cubo
de vidrio
polvo
de metal

reflejo
ahumado:
versión
del sol

(eco
de
cobre)

arista
cara irisada
sitar

Inter femora

Lúbrica hada
a dolor ida
metida
sacada

con cuidado
con K.
Y.

de lado
…sí:
¡ay!

                                        Mete!
Y si ardor o pudor o amor ay, saca!
Lamida maruga, mojada matraca
entra mejor. Si en este brete
                         se te
cae, recobra su natura de estaca:
hueso embadurnado de laca,
de perro mascado tolete.

Foutez allègrement! La vida es eso:
darle hasta que se caiga a la sin hueso
untada con "K.Y." (sabor a menta).

Considerar sin fin el fin de cuenta:
uñas y pelo y sobre la osamenta,
blanda corona, derramado el seso.

Cuatro

Ketjak

I

Contra tu piel lisa recostado. Tú contra otro. De tres en tres:
círculos concéntricos.

Gritando bajo el árbol gigante apartando lianas.
Mirándonos. Uno sobre los otros acostados: serpiente que ondula.
Escama por escama brillamos en la noche.
Tócame las manos. Pecho contra pecho. Huelo tu sudor. Tu flor roja
[en la oreja.

Falda de batik. Dando vueltas hasta marearnos.
Hasta que los dioses vengan a sentarse en los empinados tronos,
junto a las ofrendas de arroz y las flores,
entre minúsculos cestos de mimbre, lejos del mar.

II

Te enseño a bailar. Te tomo junto a mí. Junto a mi cuerpo.
Te modelo brazos y dedos. Los dedos de los pies.
Sígueme. Piel contra piel. Tócate el pelo negro.
Los ojos a la derecha. A la izquierda. Sonríe.
Dobla la espalda. Enderézate. Alza las cejas. Mírame: soy un tigre.
Te soplo en la cara. Saco los garfios.
Voy a saltar sobre ti. Teme. Devora. Por los altos árboles
huye una ardilla.

III

Pirámides de cascabeles. Tabletas de sándalo: cuchillos.
Con ellos rasparemos la piel de los muertos, cubierta de viruelas.
Abriremos, cortaremos víscera por víscera.
Que te limen los dientes.
Toquen las marimbas.
Que te cubran los ojos
con monedas chinas.

IV

Uñas de tato. Dientes de tigre.
Tres señales de arroz en la frente.
A bailar: lo que viene de la montaña es benéfico.
A huir: lo que viene del mar nefasto.

V

Ni como cruces, clavos, monedas mohosas,
medallones signos cifrados,
ni como placas con palabras o cobres
sino más apagado y grave, más rumoroso, menos pulido y lúcido,
como de uñas de león o de tigre (marfil/coral pálido)
vértebras de facóquero o de gnu cuernos de rinoceronte
aletas de cachalote garras de águila picos de papagallo
dientes —las raíces montadura de plata—
cuernos de gacela enana cabra india andina
pelambre morbidísimme del Africa cola de leona:
así suena.

Cuadernos Infimos

Próximos Ínfimos

Escuchando tras la puerta
Harry Belevan

Péndulo y otros papeles
Cristóbal Serra

Gran escape de nieve seguido de La literatura considerada como tauromaquia
Michel Leiris. Prólogo de Salvador Clotas y traducción de Ana M.ª Moix

Las estrellas de la arquitectura
Xavier Sust